CIENCIOLOGÍA
Hacer del mundo un lugar mejor.

Fundada y desarrollada por L. Ronald Hubbard, Cienciología es una filosofía religiosa aplicada que ofrece un camino exacto por la que cualquiera puede recuperar la verdad y simplicidad de su yo espiritual.

Cienciología consiste en axiomas específicos que definen las causas y principios subyacentes de la existencia y de una vasta área de observaciones acerca de las humanidades, un corpus de datos filosóficos que se aplica literalmente a la vida en su totalidad.

Este amplio corpus de conocimiento dio como resultado dos aplicaciones del tema: primero, una tecnología para que el hombre incrementara su conciencia espiritual y lograra la libertad que muchas grandes enseñanzas filosóficas buscaban; y, segundo, un gran número de principios fundamentales que el hombre puede usar para mejorar su vida. De hecho, en esta segunda aplicación, Cienciología ofrece nada menos que métodos prácticos para mejorar *cada* aspecto de nuestra existencia; medios para crear nuevas formas de vida. Y de esta proviene el tema que usted está por leer.

Compilado a partir de los escritos de L. Ronald Hubbard, la información que aquí se presenta es sólo una de las herramientas que se encuentran en *El manual de Cienciología*. Siendo una guía amplia, el manual contiene numerosas aplicaciones de Cienciología que se pueden usar para mejorar muchas otras áreas de la vida.

En este folleto los editores han aumentado la información con una breve introducción, ejercicios prácticos y ejemplos de aplicaciones con éxito.

Los cursos para incrementar su comprensión y los materiales adicionales para ampliar su conocimiento, que están disponibles en su iglesia o misión de Cienciología más cercanas, están enumerados al final de este folleto.

Hay muchos nuevos fenómenos acerca del hombre y de la vida que se describen en Cienciología, y así puede encontrar en estas páginas términos con los que no esté familiarizado. Tales términos se describen cuando aparecen por vez primera en el glosario que hay al final del folleto.

Cienciología es para usarse. Es una filosofía práctica, algo que uno *hace*. Al usar esta información, usted *puede* cambiar condiciones.

Millones de personas que quieren hacer algo sobre las condiciones que ven a su alrededor, han aplicado este conocimiento. Saben que la vida se puede mejorar. Saben que Cienciología funciona.

Use lo que lea en estas páginas para ayudarse a sí mismo y a los demás y usted también lo sabrá.

LA IGLESIA DE CIENCIOLOGÍA INTERNACIONAL

¿*C*uál es la causa de que las personas dejen de tomar parte activa en la vida? El chiquillo alegre y despreocupado se vuelve reservado y cauteloso cuando es adolescente. La mujer que tiene éxito en su profesión y que deja una relación tras otra, sufre de una falta de autoestima. El jubilado da una mirada retrospectiva a su vida y lamenta las decisiones que tomó en el pasado.

Hay una razón para estas situaciones tan comunes. No es que "simplemente sucedan", ni dependan del destino. L. Ronald Hubbard acumuló un cuerpo enorme de investigación que está dirigido directamente a resolver la razón fundamental que lleva al alejamiento de los demás y a la pérdida de la integridad. Además, desarrolló un medio preciso para que usted ayude a las demás personas a recobrar sus sentimientos de honestidad y amor propio. No hay razón para que los sueños rotos y las lamentaciones por el pasado continúen alejando a las personas de participar en el presente.

Existe un mecanismo real que hace que las personas se alejen de sus relaciones, de sus familias, de sus grupos y, de hecho, de sus sueños. Pero esas situaciones pueden remediarse. En este folleto descubrirá cómo puede ayudar a otras personas a recuperar su integridad... y su entusiasmo por la vida. Es una nueva manera de enfocar un problema antiguo, y lo que eso significa es que ya no tiene que sentarse sin tomar parte y observar impotente la angustia de los demás. En vez de eso, tendrá en sus manos los instrumentos que resolverán por completo tal desdicha. ■

Los códigos morales

En cualquier actividad en que las personas interactúan, se desarrollan códigos morales. Esto sucede en grupos de cualquier tamaño: una familia, un equipo, una empresa, una nación, una raza. ¿Qué *es* un código moral? Es una serie de acuerdos a los que la persona se ha suscrito para garantizar la supervivencia de un grupo.

Tomemos, por ejemplo, la Constitución de Estados Unidos. Fue un acuerdo que hicieron los trece estados originales que la crearon, respecto a cómo conducirían sus asuntos. Siempre que se ha quebrantado esa Constitución, el país ha tenido problemas. Lo primero que establecía era que no debía existir impuesto alguno sobre la renta. Más tarde, esto se violó. Después cambiaron otro punto en ella y luego otro y otro más. Y cada vez que se ha hecho esto, ha causado problemas.

¿Por qué hay dificultades? Porque no hay más acuerdos que el acuerdo básico.

El hombre ha aprendido que cuando ha hecho acuerdos sobre códigos de conducta o sobre lo que es adecuado, sobrevive, y cuando no los ha hecho, no sobrevive. Y así, cuando las personas se reúnen, siempre redactan una larga y voluminosa serie de acuerdos sobre lo que es moral (es decir, lo que contribuirá a la supervivencia) y lo que es inmoral (aquello que será destructivo para la supervivencia).

Moral, según estas definiciones, es todo aquello que, en determinado momento, se considera que tiene características en favor de la supervivencia. Una acción en favor de la supervivencia es una acción moral. Y se consideran inmorales aquellas cosas que van en contra de la supervivencia.

Cuando dos o más personas tienen un acuerdo mutuo, actúan juntas y a eso se le llama *acción conjunta*. Bailar con alguien es una acción conjunta; pelear con alguien es una acción conjunta; trabajar en una organización es una acción conjunta.

En la experiencia naval, se conoce el dato de que los miembros de la tripulación de un barco no tienen ningún valor hasta haber afrontado algún terrible peligro o haber peleado juntos. Podríamos tener un barco navegando con una tripulación nueva y, aunque estén entrenados para sus deberes, nada funciona: los suministros nunca parecen llegar a bordo, el combustible nunca parece fluir libremente hacia las máquinas; no sucede nada, excepto confusión. Un día el barco afronta una gran tormenta, con olas enormes y embravecidas y cada miembro de la tripulación a bordo trabajando conjuntamente para achicar el agua de la sala de máquinas y mantener las hélices girando. De una forma u otra, evitan que el barco se haga pedazos y la tormenta amaina (decrece, disminuye). Ahora, por alguna razón especial, tenemos un verdadero barco.

Ya sea que se trate de un grupo de dos personas en sociedad o de una nación entera que se esté formando, tras haber despojado de sus tierras a otra raza –el tamaño del grupo no importa–, se establecen ciertos acuerdos. La duración del acuerdo no tiene mucho que ver. Podría ser un acuerdo de un día, de un mes o para los siguientes quinientos años.

Por lo tanto, las personas, al formar grupos, crean una serie de acuerdos sobre lo que es correcto y lo que es incorrecto, lo que es moral y lo que es inmoral, lo que supone supervivencia y lo que no supone supervivencia. Eso es lo que se crea. Y luego esto se desintegra por transgresiones (violaciones de acuerdos o leyes). Estas transgresiones de cada miembro del grupo, de las que no se habla, pero que son sin embargo transgresiones, se van acumulando gradualmente hasta la desintegración.

En Cienciología se han examinado con gran detalle estas transgresiones y sus efectos. El mecanismo que entra en funcionamiento aquí comprende dos partes.

Un acto dañino o una transgresión contra el código moral del grupo se denomina acto hostil. Cuando una persona hace algo contrario al código moral con el que ha estado de acuerdo, o cuando omite hacer algo que debería haber hecho de acuerdo a ese código moral, ha cometido un acto hostil. Un acto hostil viola aquello sobre lo que se ha estado de acuerdo.

Una transgresión no expresada ni dada a conocer contra un código moral que la persona está obligada a cumplir se denomina *ocultación*. Una ocultación es un acto hostil que la persona ha cometido, del cual no habla. Es algo que ella cree que, si se revelara, pondría en peligro su propia preservación. Toda ocultación viene después de un acto hostil. Por lo tanto, un acto hostil es algo *que se hace*; una ocultación es un acto hostil que se oculta a otra persona o personas.

La única persona que puede separar a alguien de un grupo es la persona misma, y el único mecanismo mediante el cual puede hacerlo es la ocultación. La persona oculta a los demás miembros del grupo las transgresiones contra el código moral del grupo y así se individualiza (se separa) del grupo, y por lo tanto, el grupo se desintegra.

Los males sociales del hombre son principalmente un compuesto de sus dificultades personales. El enfoque funcional es ayudar al *individuo* a

Cuando una persona está de acuerdo en seguir un cierto código moral...

Prohibido pescar

...pero después viola esos acuerdos, comete lo que se conoce como acto hostil.

Cuando una persona no comunica algo que ha hecho por temor a las consecuencias, se le llama ocultación.

solucionar sus dificultades personales para su mejora y la de la sociedad de la que forma parte.

LA JUSTIFICACIÓN

Cuando una persona ha cometido un acto hostil y después lo oculta, generalmente utiliza el mecanismo social de la justificación. Con "justificación" queremos decir, explicar cómo un acto hostil no era en realidad un acto hostil.

Todos hemos escuchado a las personas tratar de justificar sus acciones, y todos sabemos por instinto que una justificación equivale a una confesión de culpabilidad. Pero nunca antes habíamos comprendido el mecanismo exacto que hay tras una justificación.

Sin recurrir a la aplicación de los procedimientos de Cienciología, no había medio alguno de que una persona pudiera aliviar su conciencia de haber cometido un acto hostil, excepto tratando de *minimizar el acto hostil*.

Algunas iglesias y otros grupos han usado la confesión en un esfuerzo por aliviar a la persona de la presión de sus actos hostiles. Sin embargo, al carecer de una comprensión plena de todos los mecanismos que entran en juego, esto ha tenido una utilidad limitada. Para que una confesión sea verdaderamente efectiva, la revelación de nuestras fechorías debe ir acompañada de una aceptación completa de la responsabilidad. Todos los actos hostiles son producto de la irresponsabilidad en algún área o aspecto de la vida.

Las ocultaciones son en sí mismas un tipo de acto hostil, pero tienen un origen diferente. Cienciología ha probado de forma concluyente que el hombre es básicamente bueno: un hecho que desafía las creencias antiguas de que el hombre es básicamente malo. El hombre es bueno hasta tal punto que, cuando se da cuenta de que está siendo muy peligroso y está cometiendo demasiados errores, trata de minimizar su poder, y si eso no funciona y aún se encuentra cometiendo actos hostiles, entonces trata de deshacerse de sí mismo, ya sea alejándose o dejándose atrapar y ejecutar. Sin esta computación, la policía sería impotente para detectar el crimen; el criminal siempre se ayuda a sí mismo para que lo atrapen. Por qué la policía castiga al criminal que ha atrapado es el misterio. Él desea volverse menos dañino para la sociedad y quiere rehabilitación. Si esto es cierto, ¿entonces por qué no se quita él el peso? El hecho es este: considera que quitarse el peso es un acto hostil.

Las personas ocultan los actos hostiles porque tienen la idea de que decirlos sería otro acto hostil. Es como si trataran de absorber y mantener fuera de la vista toda la maldad del mundo. Esto es un desatino. Al ocultar los actos hostiles, estos se mantienen a flote y son, en sí mismos, como las ocultaciones, la única causa de la maldad continua.

En vista de tales mecanismos, cuando el peso se hizo demasiado grande, el hombre se vio impulsado hacia otro mecanismo: el esfuerzo por minimizar el tamaño y la presión del acto hostil. La única forma de hacerlo era intentando reducir el tamaño y la reputación de la persona contra la que se había cometido el acto hostil. De aquí que, cuando un hombre o una mujer han cometido un acto hostil, generalmente le sigue un esfuerzo para reducir la bondad o importancia del blanco del acto hostil. En consecuencia, el marido que traiciona a su esposa debe entonces afirmar que la mujer de alguna manera no era buena. Así, la esposa que traicionó a su marido tiene que rebajarlo para reducir el acto hostil. Desde este punto de vista, la mayoría de las críticas son la justificación por haber cometido un acto hostil.

Esto no quiere decir que todo sea correcto y que nunca se requiera una crítica. El hombre no es feliz. Y el mecanismo del acto hostil simplemente es un "juego" sórdido en el que ha caído, sin saber a dónde iba. Por lo tanto, en la conducta, en la sociedad y en la vida en general, hay aspectos correctos y aspectos incorrectos, pero la crítica quejumbrosa y a diestro y siniestro, cuando no está respaldada por hechos, es sólo un esfuerzo para reducir el tamaño del blanco del acto hostil, para que la persona pueda vivir (o eso espera) con el acto hostil. Por supuesto, criticar injustamente y rebajar la reputación es en sí un acto hostil, así que este mecanismo, de hecho, no es útil.

Esta es una espiral descendente: Uno comete actos hostiles sin darse cuenta. Luego trata de justificarlos sacando defectos o echando la culpa a otros factores. Esto le lleva a cometer más actos hostiles contra las mismas personas, lo cual le conduce a su propia degradación y, a veces, a la de esas personas.

La sociedad está establecida de tal forma que castiga la mayoría de las transgresiones de una u otra forma. El castigo sólo es otro elemento que empeora la secuencia del acto hostil y degrada al que imparte el castigo. Pero las personas que son culpables de actos hostiles, exigen el castigo. Lo utilizan como ayuda para refrenarse (eso esperan) de más transgresiones. Es la víctima la que exige el castigo, y es la desatinada sociedad la que se lo concede. Las personas se postran directamente y suplican que se las ejecute. Y si no se les hace ese favor, la reacción de una mujer despreciada es dulce en comparación.

Cuando escuche críticas mordaces y brutales contra alguien, que parezcan un poco excesivas, sepa que tiene, delante de sus narices, actos hostiles contra la persona a quien se critica.

Aquí tenemos en nuestras manos el mecanismo que vuelve loco a este universo. Conociendo el mecanismo, es posible deducir una resolución efectiva para desactivarlo. Sin embargo, hay otras ramificaciones que deberían comprenderse primero.

Cuando una persona comete un acto hostil, en este ejemplo, robar dinero a su jefe.....

...tiene una ocultación con la persona a quien ha dañado.

En cuanto la carga de lo que la persona ha hecho se vuelve demasiado grande....

... tratará de minimizar al individuo a quien hizo daño, en un esfuerzo por reducir su acto hostil; a esto se le llama "justificación".

VUELOS

La tecnología de Cienciología incluye la explicación verdadera de las partidas, repentinas y relativamente inexplicables, de trabajos, familias, lugares y zonas. Estas partidas se llaman *vuelos*.

Esta es una de las cosas sobre las que el hombre pensó saberlo todo, y por tal razón nunca se tomó la molestia de investigar. No obstante, es la que le causa más dificultades. El hombre lo había explicado todo a su satisfacción, pero esa explicación no reducía la cantidad de dificultades provenientes de la sensación de "tener que marcharse".

Por ejemplo, el hombre ha estado desesperado respecto al elevado índice de divorcios, la elevada renovación de plantilla en las fábricas, el descontento laboral y muchas otras cosas, todas ellas provenientes de la misma fuente: las partidas repentinas o graduales.

Vemos que una persona con un buen trabajo, que probablemente no conseguirá otro mejor, súbitamente decide irse y se va. Vemos que una esposa con un esposo y una familia estupendos se va y lo deja todo. Vemos que un esposo con una esposa guapa y atractiva rompe la afinidad y se va.

El hombre se explicaba esto diciendo que se le habían hecho cosas que no toleraría, y que por tal motivo se tenía que ir. Pero si esta fuera la explicación, todo lo que tendría que hacer el hombre sería que las condiciones de trabajo, las relaciones conyugales, los trabajos, los programas de formación y demás, fueran excelentes, y el problema quedaría resuelto. Pero, por el contrario, un examen cuidadoso de las condiciones de trabajo y las relaciones conyugales demuestra que mejorar las condiciones, con frecuencia empeora la cantidad de vuelos. Es probable que las mejores condiciones de trabajo en el mundo las lograra el Sr. Hershey, de la famosa marca de chocolate, para los trabajadores de su fábrica. Sin embargo, se sublevaron e incluso le dispararon. Esto a su vez condujo a una filosofía industrial que dice que cuanto peor se trata a los trabajadores, más dispuestos están a quedarse, lo que en sí mismo es tan falso como decir que cuanto mejor se les trata, más rápido vuelan.

Uno puede tratar a las personas tan bien que lleguen a avergonzarse de sí mismas, sabiendo que no lo merecen, y se precipita un vuelo. Y ciertamente se les puede tratar tan mal que su única opción sea irse. Pero estas son condiciones extremas, y entre ellas se encuentra la mayoría de las partidas: la esposa se esfuerza al máximo para hacer que su matrimonio tenga éxito y el marido se aleja siguiendo las huellas de una mujer licenciosa. El directivo se esfuerza por mantener las cosas funcionando, y el trabajador se marcha. Estas situaciones inexplicables destrozan las organizaciones y las vidas, y ya es hora de que las entendamos.

Las personas se van debido a sus propios actos hostiles y ocultaciones. Esa es la realidad y la regla invariable. A un hombre con un corazón limpio no se le puede dañar. El hombre o mujer que debe, debe, debe convertirse en víctima y partir, parte debido a sus propios actos hostiles y ocultaciones. No importa si la persona abandona una ciudad o un trabajo. La causa es la misma.

Casi cualquiera, no importa su posición ni lo que esté mal, puede remediar una situación si realmente lo desea. Cuando la persona ya no desea remediarla, sus propios actos hostiles y ocultaciones en contra de las demás personas implicadas en la situación han reducido su propia capacidad para hacerse responsable de ella. Por lo tanto, partir es la única respuesta aparente. Para justificar la partida, la persona que vuela imagina cosas que se le hicieron, en un esfuerzo por minimizar el acto hostil degradando a aquellos contra los que lo hizo. La mecánica de esto es bastante sencilla.

Ahora que conocemos todo el mecanismo, es una irresponsabilidad de nuestra parte permitir tanta irresponsabilidad. Cuando una persona amenaza con abandonar una ciudad, un puesto, un trabajo o un programa de formación, la única cosa amable que se puede hacer es sacar los actos hostiles y las ocultaciones de esa persona. Hacer menos que eso permite que la persona se vaya con la sensación de haberse degradado y de que se le ha dañado.

Es asombroso que actos hostiles triviales causan que una persona vuele. En una ocasión se detuvo a un miembro del personal justo antes de que volara, y se descubrió que el acto hostil original en contra de la organización fue que no la había defendido cuando un criminal habló mal de ella. Al hecho de no haberla defendido, se acumularon más y más actos hostiles y ocultaciones, como no transmitir mensajes, no completar tareas, hasta que al final esto degradó tanto a la persona que la llevó a robar algo sin valor. Este robo causó que la persona creyera que sería mejor marcharse.

Es un comentario más bien noble sobre el hombre decir que *cuando una persona se encuentra a sí misma siendo,* según cree, *incapaz de refrenarse de dañar a un benefactor, lo defenderá marchándose.* Esta es la verdadera causa del vuelo. Si mejorásemos las condiciones de trabajo de una persona desde este punto de vista, veríamos que sólo habríamos amplificado sus actos hostiles y asegurado el hecho de que la persona se marchara. Si castigamos, podemos reducir el valor del benefactor un poco y reducir así el valor del acto hostil. Pero ni la mejora ni el castigo son la respuesta. La respuesta está en Cienciología y en usar los procedimientos de Cienciología para elevar a la persona a un nivel alto de responsabilidad en el que pueda tomar un trabajo o puesto y llevarlo a cabo sin todo ese abracadabra extraño de: "Tengo que decir que me estás haciendo algo para poder marcharme y protegerte de todo lo malo que te estoy haciendo". Así está la situación y no tiene sentido no hacer algo al respecto, ahora que lo sabemos.

Intranquila reposa la cabeza de quien tiene una mala conciencia. Limpie su conciencia y tendrá una persona mejor.

Cuando la persona acumula suficientes actos hostiles y ocultaciones contra otra persona o área, como en este caso, en un matrimonio …

… empezará a criticar y a sacar defectos a esa persona o área …

… que justifican su partida, su vuelo. Las personas se van debido a sus propios actos hostiles y ocultaciones.

LA SECUENCIA DEL ACTO HOSTIL-MOTIVADOR

El mecanismo de los actos hostiles incluye otro aspecto. Se llama la *secuencia del acto hostil-motivador*, y explica más a fondo gran parte de la conducta humana.

Un acto hostil, como se ha visto, es una transgresión contra el código moral de un grupo, y podría describirse además como un *acto* agresivo o destructivo del individuo contra algún aspecto de la vida.

Un motivador es un acto agresivo o destructivo recibido por la persona o alguna parte de la vida.

El punto de vista desde el que se ve el acto determina si es un acto hostil o un motivador.

La razón de que se le llame "motivador" es porque tiende a impulsar a la persona a devolverlo: "motiva" un nuevo acto hostil.

Cuando uno ha hecho algo malo a alguien o a algo, tiende a creer que debió de haberse "motivado".

Cuando alguien recibe algo malo, también *puede* tender a sentir que *él* debe de haber hecho algo para merecerlo.

Los puntos anteriores son ciertos. Las acciones y reacciones de las personas sobre el tema a menudo están muy falseadas.

La gente anda por ahí creyendo que estuvo en un accidente de automóvil, cuando en realidad lo ocasionó.

También puede creer que ocasionó un accidente cuando de hecho sólo estuvo en uno.

Algunas personas, al oír hablar de una muerte, en seguida creen que tienen que haber matado a la persona aunque se encontraran muy lejos.

En las grandes ciudades, hay personas que se presentan a la policía y confiesan casi cada asesinato como cosa habitual.

No se tiene que estar loco para estar sujeto a la secuencia del acto hostil-motivador.

La secuencia del acto hostil-motivador se basa en la ley de interacción de Newton y está de acuerdo con ella. Esta ley menciona que para cada acción existe una reacción contraria igual a ella.

La simple ley de interacción es que si tenemos dos pelotas, una roja y una amarilla, suspendidas por cuerdas, y la pelota roja se deja caer contra la amarilla, esta regresará y golpeará a la roja.

Así funciona la ley de interacción de Newton. Las personas que han llegado muy abajo (que se han deteriorado) y empiezan a seguir por completo al universo físico, usan esta ley como su método exclusivo de funcionamiento.

 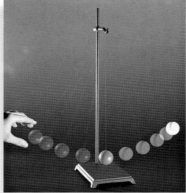 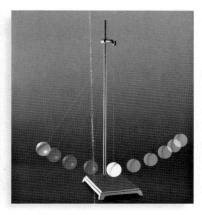

Venganza: "Me golpeas, te golpeo".

Defensa nacional: "Si conseguimos suficientes armas atómicas, es obvio que podremos evitar que otros nos ataquen con armas atómicas".

Sin embargo, la secuencia del acto hostil-motivador implica más que la ley de interacción de Newton.

Si José golpea a Guillermo, ahora cree que Guillermo le debe golpear, y lo que es más importante, de hecho tendrá un somático (dolor o incomodidad física) para probar que Guillermo lo golpeó, aunque Guillermo no lo haya hecho. Actuará de acuerdo a esta ley sin tener en cuenta las circunstancias reales. Y las personas van por ahí todo el tiempo justificándose, diciendo que

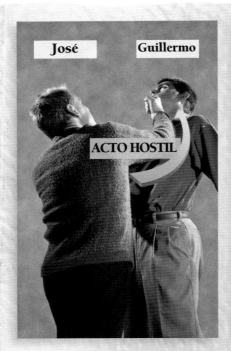 

José · Guillermo · José · Guillermo

ACTO HOSTIL · MOTIVADOR

Una acción dañina puede ser un acto hostil o un motivador, dependiendo del punto de vista. Un motivador tiende a provocar otro acto hostil (es probable que Guillermo, la persona a quien se golpeó, devuelva el golpe o busque venganza), acarreando así muchas dificultades a la persona en áreas de su vida en que ha cometido actos hostiles.

Guillermo las ha golpeado, Guillermo las ha golpeado, Guillermo las ha golpeado.

Aunque no haya sucedido, los seres humanos, en un nivel reactivo (irracional) muy bajo, insistirán en que sucedió. Y esa es la secuencia del acto hostil-motivador.

Es muy valioso saber esto.

Por ejemplo, si oye a una esposa decir que su esposo la golpea todos los días, busque debajo de su almohada el garrote que ella usa, ya que con toda seguridad, si ella dice que la pelota amarilla ha golpeado a la roja, dese cuenta de que la pelota roja tuvo que golpear primero a la amarilla.

Este mecanismo ayuda enormemente a explicar ciertas actividades humanas.

USTED PUEDE ESTAR EN LO CORRECTO

Lo correcto y lo incorrecto forman una fuente común de disputa y lucha. Esto se relaciona muy de cerca con los actos hostiles y ocultaciones y con la secuencia del acto hostil-motivador.

El esfuerzo por tener razón es el último esfuerzo consciente de un individuo que va camino de su extinción. "Yo tengo razón y ellos están equivocados" es el concepto más bajo que puede formular una persona inconsciente.

Lo que es correcto y lo que *es* incorrecto no es necesariamente definible para todo el mundo. Esto varía de acuerdo a los códigos morales y disciplinas existentes, y antes de Cienciología, a pesar de que se les usaba como prueba de "cordura" en jurisprudencia, no se basaban en hechos; sólo en la opinión.

En Cienciología surgió una definición más precisa. Y la definición se convirtió también en la verdadera definición del acto hostil. Un acto hostil no es sólo dañar a alguien o a algo: un acto hostil es un acto de *omisión* o *comisión* que hace el menor bien al menor número de personas o áreas de la vida, o el mayor daño al mayor número de personas o áreas de la vida. Esto incluiría la propia familia, el grupo o equipo propios y la humanidad en su globalidad.

Por lo tanto, una acción incorrecta lo es en la medida en que daña al mayor número. Una acción correcta lo es en la medida en que beneficia al mayor número.

Muchas personas piensan que una acción es un acto hostil sólo porque es destructiva. Para ellas, todas las acciones u omisiones destructivas son actos hostiles. Esto no es verdad. Para que un acto de comisión u omisión sea un acto hostil, debe dañar al mayor número de personas y áreas de la vida. Por lo tanto, no destruir algo podría ser un acto hostil. Ayudar a algo que dañara al mayor número también puede ser un acto hostil.

Un acto hostil es algo que daña ampliamente. Un acto benéfico es algo que ayuda ampliamente. Puede ser un acto benéfico dañar algo que fuera dañino para muchas personas y áreas de la vida.

Dañar a todo o ayudar a todo pueden ser, de la misma manera, actos hostiles. Ayudar a ciertas cosas y dañar a otras pueden ser, por igual, actos benéficos.

La idea de no dañar nada y ayudar a todo es también bastante demente. Es cuestionable pensar que ayudar a los que esclavizan es una acción benéfica, y es igualmente cuestionable considerar que la destrucción de una enfermedad es un acto hostil.

En lo relativo a tener razón o estar equivocado, pueden desarrollarse muchos pensamientos confusos. No hay bien absoluto ni mal absoluto. Tener razón no consiste en no estar dispuesto a dañar, y estar equivocado no consiste sólo en no dañar.

Hay cierta irracionalidad en "tener razón" que no sólo descarta la validez de la prueba legal de la cordura, sino que también explica por qué algunas personas hacen cosas muy incorrectas e insisten en que están haciendo lo correcto.

La respuesta está en un impulso, innato en todos, de tratar de tener razón. Esta es una insistencia que rápidamente se separa de la acción correcta y va acompañada de un esfuerzo por hacer que los demás estén equivocados, como vemos en las personas hipercríticas. Un ser que aparentemente está inconsciente, *aún* sigue teniendo razón y haciendo que los demás estén equivocados: es la última crítica.

Hemos visto a una "persona a la defensiva" explicar las equivocaciones más descaradas. Esto también es una "justificación". La mayoría de las explicaciones de la conducta, no importa lo inverosímiles que sean, parecen perfectamente correctas a la persona que las da, ya que sólo está afirmando el hecho de que ella tiene razón y los demás están equivocados.

Parece ser que los científicos que son irracionales no pueden desarrollar muchas teorías. No lo hacen porque están más interesados en insistir en su propia extraña corrección que en encontrar la verdad. Así, tenemos extrañas "verdades científicas" de hombres que deberían tener mejores conocimientos.

La verdad la construyen los que tienen la generosidad y el equilibrio de ver también dónde están equivocados.

Usted ha escuchado algunas disputas muy absurdas entre la multitud. Dese cuenta de que el orador estaba más interesado en *afirmar* su propia corrección que en estar en lo correcto.

Un thetán (el ser espiritual, la persona misma) trata de tener razón y *lucha* contra estar equivocado. Lo hace sin tener en cuenta si tiene razón en algo o si hace lo correcto en realidad. Es una *insistencia* que no tiene ninguna relación con lo correcto de la conducta.

Uno siempre intenta tener razón; hasta el último aliento.

¿Cómo, entonces, llega uno a equivocarse alguna vez?

Es de este modo:

Alguien realiza una acción incorrecta, accidentalmente o por descuido. Lo incorrecto de la acción o la inacción está entonces en conflicto con su necesidad de tener razón. Así que puede continuar y repetir la acción equivocada para probar que es correcta.

Este es un elemento fundamental de la aberración (pensamiento o conducta irracional). Todas las acciones incorrectas son el resultado de un error seguido de una insistencia en haber tenido razón. En vez de corregir el error (lo que implicaría estar equivocado), uno insiste en que el error era una acción correcta y por eso la repite.

Conforme un ser baja por la escala, es más y más difícil que admita haberse equivocado. Mejor dicho: el admitirlo bien podría ser desastroso para lo que aún pudiera quedarle de capacidad y cordura.

Pues el estar en lo correcto es el material de que está hecha la supervivencia. Esta es la trampa de la que, aparentemente, el hombre no ha sido capaz de liberarse a sí mismo: un acto hostil que se apila sobre otro, avivado con afirmaciones de estar en lo correcto. Por fortuna, existe un camino de salida seguro de esta telaraña, como veremos a continuación.

El impulso de estar en lo correcto está dentro de todas las personas.

Cuando ocurre una acción equivocada, la persona entra en conflicto entre su acción errónea y el impulso de estar en lo correcto.

...y puede continuar haciendo esa acción en un esfuerzo por afirmar que está en lo correcto.

Cómo escribir actos hostiles y ocultaciones

Desde hace mucho tiempo se sabe en Cienciología que cuando hay actos hostiles y ocultaciones –abreviado como "O/Ws" (del inglés "overts/ withholds")–, no puede haber ganancias (mejorías).

Los actos hostiles son la mayor razón de que una persona se refrene y se retire de la acción.

La persona que tiene actos hostiles y ocultaciones se vuelve menos capaz de influir en su propia vida y en las vidas de los que están a su alrededor, y deja de comunicarse con las personas y cosas contra las que cometió actos hostiles.

Escribir los propios actos hostiles y ocultaciones ofrece un camino de salida. Al confrontar la verdad, la persona puede experimentar alivio y recuperar responsabilidad.

La teoría básica

La teoría en que se basa la acción de escribir los actos hostiles y ocultaciones está contenida en los Axiomas de Cienciología, publicados en su totalidad en el libro *Cienciología 0-8: El libro de los fundamentos*. Un axioma es la declaración de una ley natural similar a las de las ciencias físicas.

Una porción del axioma 38 de los axiomas de Cienciología se aplica en especial:

1: *La estupidez es el desconocimiento de la consideración.*

2: *Definición mecánica: La estupidez es el desconocimiento de tiempo, lugar, forma y evento.*

1: *La verdad es la consideración exacta.*

2: *La verdad es el tiempo, el lugar, la forma y el evento exactos.*

Así, vemos que el dejar de descubrir la verdad produce estupidez.

Así, por experimentación real, vemos que el descubrimiento de la verdad produciría as-isness.

As-isness es la condición en que una persona ve algo tal cual es, sin distorsiones ni mentiras, momento en que se desvanece y deja de existir (del inglés, as, tal como, is, es, y -ness, estado).

Así, vemos que una verdad fundamental no tendría tiempo, lugar, forma o evento.

Así, entonces, percibimos que podemos lograr persistencia sólo cuando enmascaramos una verdad.

Mentir es una alteración del tiempo, lugar, evento o forma.

Mentir se convierte en alter-isness (una realidad sobre algo que se ha alterado o cambiado, del inglés: *alter,* alterar, is, es y -*ness,* estado), se convierte en estupidez.

Cualquier cosa que persista debe evitar as-isness.

Así, para que cualquier cosa persista, debe contener una mentira.

Escribir los actos hostiles y las ocultaciones propias puede lograr un as-isness y, por lo tanto, aliviar a la persona de la carga de sus transgresiones.

Formato del escrito de O/Ws

Cuando una persona hace escritos de O/Ws, pueden ocurrir abusos si no se conocen y se siguen los datos específicos de la acción.

El primer paso que se debe dar antes de escribir O/Ws es aclarar el procedimiento exacto de cómo se hacen esos escritos.

La experiencia ha probado que la gente se mete en problemas en los escritos de O/Ws cuando no hace *aclaración de palabras* del formato (incluyendo las palabras y términos clave) antes de embarcarse en la acción. (La aclaración de palabras es ese conjunto de procedimientos de Cienciología que se usan para localizar las palabras que una persona ha malentendido en los temas que ha estudiado, y definirlas consultando un diccionario).

Formato:

El formato para hacer escritos de O/Ws es el siguiente:

1. Escriba el acto hostil de comisión u omisión exacto.

2. Después indique de forma explícita los datos específicos respecto a la acción o inacción, incluyendo:

a. Tiempo (Definición: El momento de un evento, proceso o condición. Un momento, hora, día o año concreto determinado o fijado por el reloj o el calendario; un instante o fecha precisos; el período durante el que algo [como una acción] existe o continúa).

b. Lugar (Definición: La ubicación de un acaecimiento o acción. Una ubicación concreta, una porción determinada del espacio o de la superficie terrestre con un tamaño definido o indefinido pero con una posición definida).

c. Forma (Definición: La disposición de las cosas; la manera en que están organizadas las partes de un todo. En general, la disposición de las partes de cualquier cosa, o la relación entre ellas, a diferencia de las partes en sí. Una formación o disposición concreta).

d. Evento (Definición: Algo que ocurre o sucede; un incidente concreto. Un acaecimiento más o menos importante o notable. El resultado o consecuencia real o final).

Se tiene que obtener el tiempo, el lugar, la forma y el evento y se tiene que obtener lo que se hizo o se dejó de hacer, para lograr as-isness.

Ejemplo:

"1. Al salir del trabajo, al recular para salir de mi plaza de mi aparcamiento, golpeé el automóvil de un amigo, causándole daños por valor de quinientos dólares".

"2. El 30 de junio de 1987, cuando salía del trabajo, retrocedí con mi automóvil y pegué en la parte posterior del automóvil de mi amigo José. No había nadie por allí y el aparcamiento estaba casi vacío. Me fui conduciendo sin dejar una nota ni decírselo a José, sabiendo que provoqué daños a su automóvil por valor de cerca de quinientos dólares que él tuvo que pagar".

O cuando haya que sacar una o más ocultaciones:

1. Escriba la ocultación.

2. Después indique de forma explícita los datos específicos respecto a la acción o inacción oculta, incluyendo:

a. Tiempo

b. Lugar

c. Forma

d. Evento

Por ejemplo:

"1. Engañé a mi esposa (Sara) saliendo con otra mujer, y nunca se lo dije".

"2. Hace tres años, cuando me acababa de casar con Sara, la engañé con otra mujer. Nunca le dije nada a Sara sobre esto. Una mañana (en junio de 1985) le había dicho a Sara que la llevaría al cine esa noche, y de vuelta a casa del trabajo, cuando estaba en los almacenes Sears, encontré a una ex-novia (Bárbara). Le invité a cenar conmigo esa noche y aceptó. (Ella no sabía que estaba casado). Le dije que pasaría por ella a las ocho de la noche. Cuando llegué a casa procedente de los almacenes, le dije a Sara que tenía que regresar a la oficina para acabar algunas cosas, y que no podría ir al cine con ella".

"Luego fui a cenar con Bárbara en otra ciudad (en La Posada del Campo) para no arriesgarme a encontrarme con alguno de mis amigos".

Cómo administrar los escritos de O/Ws

La acción de escribir los propios actos hostiles y ocultaciones se aplica a cualquiera, y la amplitud de su aplicación es ilimitada.

Ejemplos:

Una persona no está desempeñando correctamente las funciones de su puesto, y uno de sus jefes debe pasarle por alto para hacer su trabajo (con el cliente, negocio o tarea asignada). A esa persona se le pide que escriba sus O/Ws.

Una persona quiere dejar un programa de entrenamiento que está realizando. La persona encargada de esta actividad de entrenamiento hace que escriba sus O/Ws.

Puede suceder que una persona se muestre muy crítica y encuentre errores en todo. Podría experimentar alivio si escribiera sus O/Ws.

Los siguientes pasos son el procedimiento para poner a una persona a hacer un escrito de O/Ws:

1. La primera acción para la persona que va a administrar el escrito de O/Ws es que (a) estudie y haga aclaración de palabras de este folleto ("aclarar palabras" significa definir las palabras que no se entiendan completamente, usando un diccionario y el glosario que está al final de este folleto), (b) aclare las palabras que se incluyen en el paso 4 de este procedimiento, (c) haga aclaración de palabras del formato del escrito de O/Ws.

2. Asegúrese de proveer un espacio donde la persona pueda escribir sus actos hostiles y ocultaciones sin distracciones.

3. Proporcione papel y bolígrafo.

FORMA
TIEMPO
EVENTO
LUGAR

La definición mecánica de verdad es saber el tiempo, el lugar, la forma y el evento exactos de algún acontecimiento.

FORMA
TIEMPO
EVENTO
LUGAR

Para revelar nuestros actos hostiles y ocultaciones, es necesario escribir el tiempo, el lugar, la forma y el evento exactos.

Encárguese del siguiente acto hostil u ocultación de la misma manera.

Cuando la persona hace esto, establece cada vez más la verdad...

...lo que libera la atención que la persona pudiera tener atorada en estas malas acciones del pasado, y le trae alivio.

4. Haga que la persona aclare las siguientes palabras, como se definen en el texto de este folleto: *acto hostil, ocultación, motivador, justificación, secuencia del acto hostil-motivador.*

5. Haga que la persona lea este folleto y haga aclaración de palabras del formato de escrito de O/Ws como se explica anteriormente, hasta que lo comprenda por completo.

6. Haga que la persona escriba sus O/Ws, exactamente de acuerdo al formato de escrito de O/Ws.

Al hacer un escrito de O/Ws, la persona escribe sus actos hostiles y ocultaciones hasta estar satisfecha de que están completos. La persona se sentirá muy bien con esto y experimentará alivio. No debería continuar con el escrito de O/Ws después de este punto.

Cuando termine, haga que le entregue su escrito de O/Ws. Léalo asegurándose de que se usó el formato, y dele las gracias por haberlos escrito. Este reconocimiento es importante, ya que permite a la persona saber que alguien ha recibido su comunicación. Sin embargo, no deben expresarse comentarios u opiniones sobre el contenido de su escrito.

Una vez que se le ha dado las gracias, puede devolver el escrito a la persona.

Escribir los actos hostiles y las ocultaciones propios es un procedimiento sencillo que tiene aplicación ilimitada. El esposo y la esposa podrían escribir sus actos hostiles y ocultaciones sobre su matrimonio. Un empleado podría escribir sus O/Ws con respecto a su trabajo. Un estudiante rebelde podría escribir sus transgresiones en la escuela.

Una persona puede corregir cualquier área de la vida abordando de una vez por todas sus violaciones contra los diversos códigos morales con los que ha estado de acuerdo y después ha transgredido. El alivio que acompaña al hecho de descargarse de las malas acciones propias es, con frecuencia, muy grande. La persona puede volver a sentirse parte de un grupo o de una relación y recuperar el respeto por sí misma, la confianza y la amistad de los demás y mucha felicidad personal.

Esta es una tecnología útil en extremo.

LAS PERSONAS HONESTAS TAMBIÉN TIENEN DERECHOS

Después de que haya alcanzado un elevado nivel de capacidad, usted será el primero en insistir en su derecho a vivir con personas honestas.

Cuando conoce la tecnología de la mente, como la conoce un cienciólogo entrenado, sabe que es un error usar los "derechos individuales" y la "libertad" como argumentos para proteger a aquellos que sólo destruirían.

Los derechos individuales no se originaron para proteger a los criminales, sino para darle libertad a los hombres honestos. Adentro de esta área de protección es adonde se lanzaron entonces los que necesitaban "libertad" y "libertad individual" para encubrir sus propias actividades dudosas.

La libertad es para las personas honestas. Ningún hombre que no sea honesto puede ser libre: está en su propia trampa. Cuando sus propias acciones no se pueden revelar, entonces es un prisionero; debe ocultarse a sí mismo de sus semejantes y es un esclavo de su propia conciencia. La libertad se tiene que merecer antes de que cualquier libertad sea posible.

Proteger a personas deshonestas es condenarlas a su propio infierno. Al hacer de los "derechos individuales" un sinónimo de "proteger al criminal", se ayuda a crear un estado de esclavos para todos; porque donde se abusa de la "libertad individual" surge con ello una impaciencia que a la larga barre con todos nosotros. El blanco de todas las leyes disciplinarias son los pocos que yerran. Tales leyes, desafortunadamente, también dañan y refrenan a quienes no yerran. Si todos fueran honestos, no tendría que haber amenazas disciplinarias.

Sólo hay un camino de salida para la persona deshonesta: encarar sus propias responsabilidades en la sociedad y ponerse de vuelta en comunicación con sus semejantes, con su familia, con el mundo en general. Al intentar invocar sus "derechos individuales" para protegerse a sí misma del examen de sus actos, reduce, exactamente en esa medida, el futuro de la libertad individual, pues ella misma no es libre. Sin embargo infecta a los demás que son honestos al usar el derecho *de ellos* a la libertad para protegerse a sí misma.

Intranquila reposa la cabeza de quien tiene una conciencia culpable. Y no reposará más tranquila tratando de proteger las malas acciones con alegatos de que "la libertad significa que nunca debes mirarme". El derecho de una persona a sobrevivir está directamente relacionado con su honestidad.

La libertad para el hombre no significa libertad para perjudicarlo. La libertad de expresión no significa libertad para dañar con mentiras.

El hombre no puede ser libre mientras existan a su alrededor quienes sean esclavos de sus propios terrores.

La misión de una sociedad tecno-espacial es subordinar al individuo y controlarle con coacción económica y política. La única víctima en la era de la máquina es el individuo y su libertad.

Para preservar esa libertad, uno no debe permitir que los hombres oculten sus intenciones malignas bajo la protección de esa libertad. Para que un hombre sea libre, debe ser honesto consigo mismo y con sus semejantes. Si una persona usa su propia honestidad para protestar contra el desenmascaramiento de la deshonestidad, entonces esa persona es un enemigo de su propia libertad.

Podemos estar al sol sólo en la medida en que no permitimos que las acciones de los demás traigan la oscuridad.

La libertad es para los hombres honestos. La libertad individual sólo existe para aquellos que tienen la capacidad de ser libres.

En la actualidad en Cienciología, sabemos quién es el carcelero: la persona misma. Y podemos restaurar su derecho a salir al sol erradicando el mal que los hombres se hacen a sí mismos.

Así que no diga que la investigación de una persona o del pasado es un paso hacia la esclavitud. Porque en Cienciología, tal paso es el primer paso hacia liberar al hombre de la culpabilidad propia.

Si la intención del cienciólogo fuera castigar al culpable, entonces y sólo entonces el mirar en el pasado de otra persona sería algo erróneo.

Pero nosotros no somos la policía. Nuestra mirada es el primer paso para abrir las puertas, pues están atrancadas desde *dentro*.

¿Quién castigaría cuando pudiese salvar? Sólo un loco rompería un objeto deseado que pudiera reparar, y nosotros no estamos locos.

El individuo no debe perecer en esta era de la máquina, haya derechos o no haya derechos. El criminal y el loco no deben triunfar con sus nuevos instrumentos de destrucción.

La persona que es menos libre es la persona que no puede revelar sus propios actos y que protesta por la revelación de los actos inapropiados de los demás. Sobre este tipo de personas se construirá una esclavitud política futura, en la que todos tendremos un número (y nuestra culpa), a menos que actuemos.

Es fascinante que el chantaje y el castigo sean la tónica de todas las operaciones oscuras. ¿Qué ocurriría si estos dos artículos ya no existieran? ¿Qué ocurriría si todos los hombres fueran lo suficientemente libres como para hablar? Entonces, y sólo entonces, tendría usted libertad.

El día en que podamos confiar plenamente los unos en los otros, habrá paz sobre la Tierra.

No se quede parado en la ruta hacia esa libertad. Sea libre, por sí mismo. ■

EJERCICIOS PRÁCTICOS

Los siguientes ejercicios le ayudarán a entender este folleto y a incrementar su capacidad para aplicar el conocimiento que hay en él.

1 Hojee un periódico o una revista y encuentre varios ejemplos de alguien que emplee el mecanismo social de la justificación. Siga haciéndolo, según sea necesario, hasta que pueda localizar ejemplos con facilidad.

2 Escriba un ejemplo de un acto hostil u ocultación que haya observado. Luego deduzca una consecuencia que este acto hostil u ocultación pudiera tener en la persona misma o en las que la rodean. Repita esto varias veces según sea necesario, hasta que tenga realidad de los efectos de los actos hostiles y ocultaciones.

3 Piense en, por lo menos, dos ejemplos de la secuencia del acto hostil-motivador que haya visto o experimentado.

4 Encuentre a alguien que conozca que se beneficiaría al escribir sus actos hostiles y ocultaciones. Podría ser una persona que es *abiertamente* crítica hacia alguien o algo, una persona que justifica marcadamente sus acciones en algún área o alguien que está muy a la defensiva respecto a algo que ha hecho. Adminístrele el procedimiento de escrito de O/Ws. Siga los pasos que se dan en la sección "Cómo administrar los escritos de O/Ws". Muéstrele este folleto para que entienda los beneficios de escribir O/Ws. Haga que lleve a cabo el escrito exactamente de acuerdo al formato, hasta que esté satisfecho de haber escrito completamente sus actos hostiles y ocultaciones y se sienta bien al respecto.

Resultados de la aplicación

Miles de personas han utilizado las obras de L. Ronald Hubbard para encarar y resolver directamente las contradicciones de la existencia, el bien y el mal, lo correcto y lo incorrecto. Han descubierto que las relaciones interpersonales ya no se basan en una *esperanza* de mejoría, sino en una tecnología real que invariablemente produce mejoría. Al usar esta información, las personas recuperan su amor propio e incrementan su capacidad de ser responsables.

Conocer el mecanismo que hace que las personas se alejen de cualquier tipo de relación, y hasta de la vida misma, les permite rehabilitar su deseo de asumir responsabilidad. Para estas personas, el distanciamiento ya no es un hecho de la vida. Saben qué es lo correcto y viven de acuerdo a eso. Y la sociedad que las rodea se beneficia, como lo demuestra un estudio que se realizó en España: de un grupo de criminales habituales que utilizaron los métodos del Sr. Hubbard para volverse ciudadanos honestos, el 100 por ciento no cometió más crímenes después de su rehabilitación. Esta es una estadística asombrosa, en vista de que el promedio de reincidencia habitual de criminales es del 80 por ciento.

En la sociedad moderna, no hay un medio seguro para aliviar la desdicha que nos causan nuestras propias transgresiones. La tecnología del Sr. Hubbard, sin embargo, verdaderamente proporciona los medios con los cuales un individuo puede liberarse de las hostilidades y sufrimientos de la vida. Se logran resultados que cambian la vida, como lo muestran los siguientes relatos.

Un joven de California descubrió que pudo ejercer control en su propia vida con el uso de la tecnología de actos hostiles y ocultaciones.

"Un día iba muy disgustado conduciendo mi coche. Las cosas no iban bien: ese mismo día, más temprano, los clientes habían decidido no comprar los productos que yo ofrecía; delante de mí, conductores malos y lentos me obligaban a tocar la bocina. Me sentía enojado y triste; el día parecía sombrío. Sin embargo, de pronto me di cuenta de que tal vez debía escribir mis actos hostiles y ocultaciones. Salí de la carretera y por la razón que fuera decidí escribirlos ahí mismo en el automóvil. ¡¿Y qué te parece?! Me sentí mucho mejor y me

Comparación de valores éticos

No cienciólogos ¿Mentirías para conseguir un objetivo empresarial? No 33% — Cienciólogos No 100%

No cienciólogos ¿Mentirías en un examen importante? No 53% — Cienciólogos No 100%

Las respuestas a las preguntas de encuesta reflejan la diferencia que puede suponer Cienciología en los valores que tiene la gente.

di cuenta de que siempre que las cosas estuvieran demasiado fuera de mi control, podía escribir mis actos hostiles y ocultaciones. Me sentí muy bien y en control de mi propio destino. Las cosas fueron de maravilla a partir de ahí. ¡Ya no me preocupé el resto del día, y como era de esperar, mi siguiente cliente compró todo lo que tenía por vender! ¡Además, los conductores que iban delante de mí conducían 'bien'! Me di cuenta de que lo que había cambiado era mi punto de vista y que YO podía hacer algo al respecto".

Un voluntario sudafricano a cargo de un proyecto para poner en uso la tecnología del Sr. Hubbard en comunidades de color necesitadas dijo, después de aplicar la tecnología de actos hostiles y ocultaciones:

"Tengo dos voluntarios de la comunidad que están escribiendo, en estos momentos, sus actos hostiles y ocultaciones. Debo decir que me siento muy orgulloso de esto. Me percaté de que uno de ellos había sido extremadamente infiel a muchas mujeres y se quedó pasmado cuando le dije que sabía lo que estaba pasando con su vida. Esto debe de haberlo sacudido, ya que podríamos decir que instantáneamente dejó de ser libertino. Está escribiendo sus actos hostiles y ocultaciones con toda exactitud y al detalle, y está prosperando gracias al alivio que esto le produce. ¡Tiene un aspecto estupendo! Su encantador sentido del humor y toda una 'nueva' persona está surgiendo desde debajo de sus artificios ornamentales anteriores. El otro joven me llamó para decirme que ha escrito un cuaderno completo de actos hostiles y ocultaciones y está entusiasmado con

la acción y con lo que le está sucediendo como resultado. Su país lo ha escogido entre miles de jóvenes para ir al extranjero para continuar con sus estudios. ¡No puede creerlo!".

Tras haber emigrado a Suecia con su familia, un joven estaba profundamente molesto por lo mal que lo había tratado la vida. Se sentía desdichado y no parecía que nada pudiera cambiar esto. Finalmente, un amigo se dio cuenta de que la única salida para este joven sería escribir sus actos hostiles y ocultaciones. Él estuvo de acuerdo y esto es lo que dijo:

"He pasado todo el día sentado aquí escribiendo actos hostiles y ocultaciones de toda mi vida. Siempre he culpado a los demás por lo mal que me iba (a mi madre, a mi padre, incluso a mi novia, a mis amigos, a mi nuevo país, al hecho de ser extranjero), pero antes de hacer esto nunca se me había ocurrido que la razón de que me sintiera tan mal era yo mismo. Era realmente por todo lo que hice y he llevado dentro de mí como una carga. ¡No es de extrañar que me fuera tan mal y que a otros también les vaya así de mal! Me siento como 100 kilos más liviano".

En California, una maestra de escuela tenía por alumno a un mentiroso crónico. Mentía incluso en circunstancias en que no había razón para ello. Lo habían "castigado" por hacerlo, le habían retirado sus privilegios, lo hacían trabajar durante los recreos, etc. Sin embargo, a pesar de lo que se había hecho, no había cambio. Esto es lo que sucedió cuando la maestra decidió ponerlo a escribir sus actos hostiles y ocultaciones para resolverlo.

"Pasé cinco días ayudando al chico a hacer un escrito de O/Ws. Todos los actos hostiles que escribió tenían 'mentir' como la forma del acto hostil. Después del cuarto día de escribir, finalmente me dijo que la primera vez que mintió fue cuando lastimó a su hermanito y le hizo llorar. Su mamá entró en la habitación y le preguntó si había lastimado a su hermano y él dijo: "No". Ella aceptó su respuesta y él entonces se dio cuenta que podía mentir y no ser castigado. Su cara resplandeció después de decirme esto. La satisfacción y el alivio resplandecían dentro de él. Esto fue hace tres años. Ahora es un placer estar cerca de este chico y no ha habido ninguna ocasión en que haya dicho ninguna mentira desde entonces".

Una mujer en Los Ángeles estaba en una condición física muy precaria que había tratado de resolver durante meses y meses sin resultado. Su vida era un desastre, tanto que a duras penas sabía a dónde dirigirse para buscar ayuda. Por suerte, un capellán que conocía la tecnología de los actos hostiles y las ocultaciones apareció en escena.

*"He estado escribiendo mis actos hostiles y ocultaciones durante los últimos días. Tengo un problema físico que no ha mejorado durante casi un año. Ayer mi fisioterapeuta me dijo que había una **marcada** mejoría en el tono muscular y en mi salud en general. Sé que esto es porque estoy asumiendo responsabilidad por mi propia condición. Esta tecnología está salvando mi vida".*

Una joven de Florida estaba escribiendo sus actos hostiles y ocultaciones y trataba de pensar en qué más podría escribir, ya que no se sentía muy satisfecha con su escrito. De pronto pensó en un incidente de hacía año y medio cuando por descuido dejó olvidado su bolso y en consecuencia lo perdió. En ese momento no hizo ningún esfuerzo por encontrarlo. Esto es lo que ocurrió como resultado.

"Al escribir esto, me he dado cuenta de que en realidad tenía algo de mi atención atorada en eso, pero en realidad no pensé mucho en ello cuando sucedió. Al día siguiente, apenas veinticuatro horas después de haber escrito esto, fui a recoger el correo y encontré que me habían enviado mi bolso, ¡con todo lo que tenía en él! Año y medio después de haberlo perdido en otra ciudad totalmente diferente. Ahora bien, no digo que el propósito de escribir actos hostiles y ocultaciones sea recuperar las cosas perdidas, pero me di cuenta de que era algo por lo que no había asumido responsabilidad y que había ignorado, y tan pronto como asumí algo de responsabilidad por ello y ya no era el efecto de ello, sucedió algo, ya que dejé de mantenerlo lejos de mí. Podía tener mi bolso otra vez, y en ese momento, lo recuperé".

Una chica recobró la esperanza en el futuro cuando un buen amigo suyo la convenció de que tomase las riendas de su vida, usando la tecnología de escribir sus actos hostiles y ocultaciones.

"Antes, mi vida no iba nada bien. Me 'seguían ocurriendo cosas malas' y no conseguía estar feliz, hiciese lo que hiciese. Un amigo, que estaba haciendo un curso de Cienciología, me explicó acerca de los actos hostiles y las ocultaciones y me enseñó cómo escribirlos. Al principio no creía que valiese para nada (¡Además, estaba reacia a escribir algunas de las cosas que sabía que había hecho!) Pero como me insistió en que ayudaría, comencé.

"Resultó ser una experiencia fascinante. Después de escribir bastantes cosas que sabía muy bien que eran actos hostiles y ocultaciones, empecé a mirar aquellas cosas que nunca habría admitido abiertamente que fueran dañinas, puesto que eran tan explicables y razonables. Pero al mirar y ver estas cosas que había hecho y al escribirlas todas, me percaté finalmente de cómo mi vida llegó a estar como estaba. Todavía no he terminado, pero puedo ver a dónde voy. Las cosas en mi vida han empezado a estar en su sitio y finalmente tengo la esperanza de que la vida –incluso la mía– puede ser un verdadero placer".

Un gran cambio en la forma de ver la vida y el haber recuperado el amor propio fueron los resultados para un estudiante que descubrió el valor de escribir sus actos hostiles y ocultaciones.

"Antes estaba interesado sólo en mí mismo, lo que quería hacer o tener. A veces le prestaba algo de atención a mi familia y amigos, pero eso era sólo cuando había en ello algún beneficio para mí. ¡Reconsiderándolo, yo no era la clase de persona que a mí me gustaría tener como amigo!

"Esto ahora ha cambiado. Mi interés en mis allegados ha llegado a ser una preocupación verdadera y honesta. Ni siquiera lo tengo que 'forzar'. Simplemente, está ahí de manera natural, y puedo ver cómo puedo ser valioso para ellos.

"Un resultado interesante es que ahora me siento mucho más valioso **para mí mismo**, y mi vida es mucho más alegre. Supongo que no es muy sorprendente, pero nunca lo había considerado antes.

"Todos estos grandes cambios ocurrieron porque alguien se detuvo un momento conmigo y me mostró lo que L. Ronald Hubbard había escrito acerca de actos hostiles y ocultaciones y cómo afectan a tu vida; y me hizo entonces escribir los míos. Eso fue lo que supuso la diferencia".

Al dejar con éxito las drogas, gracias al uso de la tecnología de rehabilitación de toxicómanos del Sr. Hubbard, un joven de Palombaro, Italia, descubrió otro aspecto importante de esta tecnología que le ayudó considerablemente: la tecnología de actos hostiles y ocultaciones.

"Después de liberarme de las drogas, examiné dentro de las profundidades en las que había estado y caí en la cuenta de que a causa de los actos hostiles y ocultaciones dañinos, había degradado mi existencia durante años. Pero ahora estaba libre, y me sentía a gusto conmigo mismo, hasta que me acordé de mis viejos amigos apiñados, melancólicos y enfadados. Pensé que nadie podría decirles: 'Aquí hay una fantástica tecnología para manejar actos hostiles y ocultaciones'. Dirían simplemente: '¿Pero qué acto hostil? ¿Qué ocultación?' No obstante, comprendí que mis amigos tenían que tener, a cualquier precio, los mismos éxitos que había experimentado yo.

"Así que volví a ese mismo oscuro y desordenado cuarto lleno de humo y les comencé a hablar de mi vida, de todas las cosas que había hecho mal y cómo poco a poco había empezado a cambiar esas oscuras nubes que impedían mi libertad y cómo ahora se filtraban los rayos de sol por entre ellas.

"Cuando terminé, reinaba el silencio, pero podía ver que había transmitido mis sentimientos a todos en el cuarto. ¡En efecto, algunas semanas más tarde vi a mi amigo Frank en las escaleras del centro de rehabilitación de toxicómanos! Sus ojos brillaban cuando se acercó a mí y me dijo '¡Gracias, Gianni!' En ese momento temblaba de la emoción. Mis amigos también iban a liberarse de las drogas; a liberarse de las trampas que habían tejido para sí mismos con sus propios actos hostiles y ocultaciones".

Una mujer de Nueva Zelanda describe los beneficios personales que ella experimentó al escribir sus actos hostiles y ocultaciones.

"Durante mucho tiempo me sentía reacia a enfrentarme a las cosas que yo veía que estaban mal a mi alrededor. Si veía a alguien haciendo algo poco ético o me encontraba con un trabajo parcialmente hecho o mal hecho, podría sentirme indignada pero no podía obligarme a hacer algo al respecto. Decidía no involucrarme y simplemente dejarle el manejo de esas cosas a otro. Me decía a mí misma que 'me ocupaba de mis propios asuntos', pero en realidad no podía confrontar tomar medidas cuando sabía que lo tenía que hacer.

"Esto me preocupaba realmente porque muy a menudo parecía que yo era la única que **veía** una u otra situación incorrecta. 'Dejar pasar las cosas' cuando sabía que estaban mal fue lo que realmente terminó con mi orgullo y me dejó con una malísima opinión de mí misma.

"Al escribir actos hostiles y ocultaciones recientemente, caí en la cuenta de lo que realmente estaba sucediendo. Estaba completamente atemorizada de perder los estribos, pensé que podría herir a alguien o causar algún daño. Pero la actitud de 'Dejar que algún otro se ocupe de ello' era lo que estaba causando el **verdadero** dolor y daño.

"Cuando encontré y escribí los actos hostiles y ocultaciones que estaban detrás de esta alocada actitud, esta desapareció por completo. El temor con el que había estado viviendo desapareció y mi voluntad para hacer las cosas que sabía que estaban bien volvió. Y también volvió mi orgullo. Esto es la verdadera integridad y es más valioso para mí que cualquier otra cosa".

ACERCA DE
L. RONALD HUBBARD

Ninguna afirmación resultaría más correcta para definir la vida de L. Ronald Hubbard que su simple declaración de principios : "Me gusta ayudar a los demás, y mi mayor felicidad en la vida consiste en ver a una persona libre de las sombras que oscurecen sus días". Detrás de esas palabras capitales se yergue toda una existencia de servicio a la humanidad y un legado de sabiduría que permite que cualquiera sea capaz de conseguir sus añorados sueños de felicidad y liberación espiritual.

Nacido en Tilden, Nebraska el 13 de marzo de 1911, su camino de descubrimientos y dedicación hacia sus semejantes empezó a una edad muy temprana. Escribió sobre su juventud: "Yo quería que las demás personas fueran felices y no podía comprender por qué no lo eran"; y en eso se basan los sentimientos que guiarían por largo tiempo sus pasos. A los diecinueve años, ya había recorrido más de cuatrocientos mil kilómetros y examinado las culturas de Java, Japón, La India y Filipinas.

De regreso a Estados Unidos en 1929, Ronald volvió a sus estudios y estudió matemáticas, ingeniería y la entonces nueva disciplina de la física nuclear, proporcionando todas ellas instrumentos vitales para sus continuas investigaciones. Para financiar esa investigación, Ronald inició una carrera literaria a comienzos de la década de los treinta, y enseguida se convirtió en uno de los autores más leídos de la ciencia ficción popular. Sin embargo, nunca perdió de vista su objetivo primordial, y continuó su investigación básica a través de numerosos viajes y exploraciones.

Con la llegada de la Segunda Guerra Mundial, se alistó en la armada norteamericana en calidad de alférez de navío y sirvió como capitán de corbetas antisubmarinas. Las lesiones sufridas durante los combates le dejaron parcialmente ciego y mutilado, y en 1945 se le diagnosticó una minusvalía permanente. Sin embargo, gracias a las aplicaciones de sus teorías sobre la mente, no sólo fue capaz de ayudar a sus compañeros de servicio, sino también de recuperar su propia salud.

Tras cinco años más de investigaciones intensivas, Ronald presentó al mundo sus descubrimientos en *Dianética: La ciencia moderna de la salud mental*. Como primer manual divulgador acerca de la mente humana, expresamente escrito para el hombre de la calle, Dianética inició una nueva era de esperanza para la humanidad; y para el autor, una nueva fase de su vida. Sin embargo, Ronald no abandonó su investigación y, sistematizando cuidadosamente descubrimiento tras descubrimiento hasta finales del 51, nació la filosofía religiosa aplicada de Cienciología.

Como Cienciología explica la vida en conjunto, no hay aspecto de la existencia del hombre que no fuera abordado por la obra subsiguiente de L. Ronald Hubbard. Residiendo tanto en Estados Unidos como en Inglaterra, su continua investigación produjo soluciones a males sociales tales como los estándares educativos en declive y la pandemia de la drogadicción.

En total, las obras de L. Ronald Hubbard sobre Dianética y Cienciología totalizan cuarenta millones de palabras de conferencias grabadas, libros y escritos. Juntas, constituyen el legado de una vida que terminó el 24 de enero de 1986. Sin embargo, el fallecimiento de L. Ronald Hubbard de ninguna manera constituyó un fin; ya que con cien millones de sus libros en circulación y millones de personas que aplican diariamente sus tecnologías para mejorar, se puede decir, verdaderamente, que el mundo todavía no tiene un amigo mejor. ■

GLOSSARY

aberración: desviación del pensamiento o de la conducta racional; pensamiento o conducta irracional. Básicamente significa errar, cometer equivocaciones o más específicamente, tener ideas fijas que no son verdaderas. La palabra se usa también en su sentido científico. Significa desviarse de una línea recta. Si una línea debe ir de A a B, si está *aberrada,* iría de A a algún otro punto, a algún otro punto, a algún otro punto, a algún otro punto, a algún otro punto hasta llegar finalmente a B. Tomado en este sentido, significaría la falta de rectitud o el ver las cosas en forma torcida; por ejemplo, un hombre ve un caballo pero cree ver un elefante. La conducta aberrada sería una conducta equivocada o que no está apoyada por la razón. La *aberración* es lo contrario a la cordura. Del latín *aberrare,* desviarse; del latín *ab,* alejarse de, *errare,* andar errante.

aclaración de palabras: el conjunto de procedimientos de Cienciología que se usan para localizar las palabras que una persona ha entendido mal en los temas que ha estudiado y definirlas consultando un diccionario.

aclarar palabras: definir, usando un diccionario, cualquier palabra que no se entienda completamente en la materia que la persona está estudiando.

acto hostil: un acto dañino o transgresión contra el código moral del grupo. Un acto hostil no es sólo dañar a alguien o a algo: es un acto de *omisión* o *comisión* que hace el menor bien al menor número de personas o áreas de la vida, o el mayor daño al mayor número de personas o áreas de la vida.

acuse de recibo: algo que se dice o hace para informar a otra persona que se ha notado, comprendido y recibido su declaración o acción.

afinidad: amor, aprecio o cualquier otra actitud emocional; el grado de agrado. La definición básica de *afinidad* es la consideración de distancia, sea buena o mala.

alter-isness: una realidad de algo que se ha alterado o cambiado, del inglés, *alter,* alterar, cambiar, modificar; *is,* es (ser) y *-ness,* estado, calidad, condición. *Véase también* **realidad** en este glosario.

as-isness: la condición en que una persona ve algo exactamente tal como es, sin distorsiones ni mentiras, en cuyo momento se desvanece y deja de existir, del inglés *as,* tal como, *is,* es (ser) y *-ness,* estado, calidad, condición.

confrontar: encarar sin arredrarse (asustarse, intimidarse) o evadirse. La capacidad de confrontar es en realidad la capacidad de estar ahí con comodidad y percibir.

ética: las acciones que un individuo toma por sí mismo para corregir alguna conducta o situación en la que se halla envuelto, que es contraria a los ideales y mejores intereses de su grupo. Es una cosa personal. Cuando uno es ético o "tiene su ética 'dentro'", lo es por su propia determinación y lo hace él mismo.

individualizarse: separarse de alguien, un grupo, etc; y retirar todo compromiso con ello.

invalidar: refutar, degradar, desacreditar o negar algo que la otra persona considera un hecho.

justicia: las medidas que el grupo toma con el individuo cuando este no toma por sí mismo las medidas de ética apropiadas.

justificación: el intento de minimizar un acto hostil explicando cómo este no era en realidad un acto hostil.

motivador: un acto agresivo o destructivo recibido por la persona o alguna parte de la vida. La razón de que se le llame "motivador" es porque tiende a impulsar a la persona a devolverlo: "motiva" un nuevo acto hostil.

ocultación: una transgresión, no expresada ni dicha, contra un código moral al que la persona se ha adherido. Una ocultación es un acto hostil que la persona ha cometido, del cual no habla. Toda ocultación viene *después* de un acto hostil.

palabra malentendida: una palabra que *no* se ha comprendido o que se ha comprendido *de manera errónea.*

pasar por alto: saltarse la terminal adecuada en un conducto de mando.

realidad: lo que parece ser. Fundamentalmente, realidad es acuerdo; el grado de acuerdo alcanzado por la gente. Es real lo que acordamos que es real.

somático: palabra usada en Cienciología para designar toda sensación del cuerpo, enfermedad, dolor o malestar.

theta: el pensamiento o la vida. El término viene de la letra griega *theta* (θ), que los griegos usaban para representar *el pensamiento* o quizás *el espíritu.* Algo *theta* se caracteriza por la razón, la serenidad, la estabilidad, la felicidad, las emociones alegres, la persistencia y otros factores que el hombre considera normalmente deseables.

thetán: la persona misma, no su cuerpo o su nombre, el universo físico, su mente ni cualquier otra cosa; es lo que está consciente de estar consciente; la identidad que *es* el individuo. El término *thetán* se acuñó para eliminar cualquier posible confusión con conceptos más antiguos y no válidos. Viene de la letra griega *theta* que los griegos usaban para representar *el pensamiento* o quizás *el espíritu,* a la cual se le añade una *n* para hacer un nombre, siguiendo el estilo moderno en que se crean palabras en la ingeniería en la lengua inglesa.

IGLESIAS DE CIENCIOLOGÍA

Ponte en contacto con tu iglesia u organización más próxima, o visita: www.volunteerministers.org

ARGENTINA

Buenos Aires
Asociación de
 Dianética de Argentina
Bartolomé Mitre 2162
Capital Federal, 1039
Buenos Aires, Argentina

COLOMBIA

Bogotá
Centro Cultural de Dianética
Carrera 30 #91–96
Bogotá, Colombia

MÉXICO

Ciudad de México
Asociación Cultural
 de Dianética, A.C.
Belisario Domínguez #17-1,
Villa Coyoacán
Colonia Coyoacán
C.P. 04000, México, D.F.

Instituto de Filosofía
 Aplicada, A.C.
Municipio Libre No. 40
 Esq. Mira Flores
Colonia Portales
C.P. 06890, México, D.F.

Centro Cultural
 Latinoamericano, A.C.
Berlin #9 BIS,
Colonia Juárez
C.P. 06600, México, D.F.

Instituto Tecnológico
 de Dianética, A.C.
Avenida Chapultepec 540, 6º Piso
Colonia Roma
Metro Chapultepec
C.P. 06700, México, D.F.

Organización Desarrollo
 y Dianética, A.C.
Ciaitje,pc #576
Colonia Narvarte
C.P. 03020, México, D.F.
Organización Cultural
 de Dianética, A.C.
Calle San Luis Potosí #196-3er Piso
Esq. Medellín
Colonia Roma
C.P. 03020, México, D.F.

Guadalajara
Organización Cultural
 de Dianética, A.C.
Ave. de la Paz 2787
Fracc. Arcos Sur
Sector Juárez, Guadalajara,
 Jalisco
C.P. 44500, México

VENEZUELA

Caracas
Oraganización Cultural
 de Dianética, A.C.
Calle Casiquiare
 Entre Yumare y Atunes
quinta Shangai
Urbanización El Marquez
Caracas, Venezuela

Valencia
Asociación Cultural
 de Dianética, A.C.
Avenida Bolívar Nte.
Edificion El Refugio #141-45
A 30 metros Ave. Monseñor Adams
Valencia, Venezuela

ESPAÑA

Barcelona
Asociación Civil Dianética
Pasaje Domingo, 11-13 Bajos.
08007 Barcelona, España

Madrid
Asociación Civil Dianética
C/ Montera 20, Piso 1º dcha.
28013 Madrid, España

ESTADOS UNIDOS

Albuquerque
Church of Scientology
8106 Menaul Blvd. N.E.
Albuquerque, NM 87110

Ann Arbor
Church of Scientology
66 E. Michigan Avenue
Battle Creek, MI 49017

Atlanta
Church of Scientology
1132 West Peachtree St.
Atlanta, GA 30324

Austin
Church of Scientology
2200 Guadalupe
Austin, TX 78705

Boston
Church of Scientology
448 Beacon Street
Boston, MA 02115

Buffalo
Church of Scientology
47 West Huron Street
Buffalo, NY 14202

Chicago
Church of Scientology
3009 North Lincoln Ave.
Chicago, IL 60657

Cincinnati
Church of Scientology
215 West 4th Street,
5th Floor
Cincinnati, Ohio 45202

Clearwater
Church of Scientology
Flag Service Organization
210 South Fort Harrison
Clearwater, Florida 34616

Clearwater
Church of Scientology
Flag Ship Service Organization
c/o *Freewinds* Relay Office
118 N. Fort Harrison
Clearwater, Florida 34615

Columbus
Church of Scientology
30 North High Street
Columbus, Ohio 43215

Dallas
Church of Scientology
Celebrity Centre Dallas
10500 Steppington Dr.
 Suite 100
Dallas, Texas 75230

Denver
Church of Scientology
3385 S. Bannock
Englewood, Colorado 80110

Detroit
Church of Scientology
321 Williams Street
Royal Oak, Michigan 48067

Honolulu
Church of Scientology
1148 Bethel Street
Honolulu, Hawaii 96813

Kansas City
Church of Scientology
3619 Broadway
Kansas City, Missouri 64111

Las Vegas
Church of Scientology
846 East Sahara Avenue
Las Vegas, Nevada 89104

Church of Scientology
Celebrity Centre
Las Vegas
1100 South 10th Street
Las Vegas, Nevada 89104

Long Island
Church of Scientology
99 Railroad Station Plaza
Hicksville, New York 11801

Los Angeles y alrededores

Church of Scientology
4810 Sunset Boulevard
Los Angeles, California 90027

Church of Scientology
1451 Irvine Boulevard
Tustin, California 92680

Church of Scientology
1277 East Colorado Blvd.
Pasadena, California 91106

Church of Scientology
3619 W. Magnolia Blvd.
Burbank, California 91506

Church of Scientology
American Saint Hill
   Organization
1413 L. Ron Hubbard Way
Los Angeles, California 90027

Church of Scientology
American Saint Hill
   Foundation
1413 L. Ron Hubbard Way
Los Angeles, California 90027

Church of Scientology
Advanced Organization
   of Los Angeles
1306 L. Ron Hubbard Way,
Los Angeles, California 90027

Church of Scientology
Celebrity Centre International
5930 Franklin Avenue
Hollywood, California 90028

Los Gatos

Church of Scientology
475 Alberto Way,
   Suite 110
Los Gatos, California 95032

Miami

Church of Scientology
120 Giralda Avenue
Coral Gables, Florida 33134

Minneapolis

Church of Scientology
Twin Cities
1011 Nicollet Mall
Minneapolis, Minnesota 55403

Mountain View

Church of Scientology
2483 Old Middlefield Way,
Mountain View, California 96043

Nashville

Church of Scientology
Celebrity Centre Nashville
1503 16th Ave. So.
Nashville, Tennessee 37212

New Haven

Church of Scientology
909 Whalley Avenue
New Haven, Connecticut 06515

New York City

Church of Scientology
227 West 46th Street
New York City, New York 10036

Church of Scientology
Celebrity Centre
   New York
65 East 82nd Street
New York City, New York 10028

Orlando

Church of Scientology
1830 East Colonial Dr.
Orlando, Florida 32803

Philadelphia

Church of Scientology
1315 Race Street
Philadelphia, PA 19107

Phoenix

Church of Scientology
2111 W. University Dr.
Mesa, Arizona 85201

Portland

Church of Scientology
323 S.W. Washington
Portland, Oregon 97204

Church of Scientology
Celebrity Centre Portland
709 Southwest Salmon St.
Portland, Oregon 97205

Sacramento

Church of Scientology
825 15th Street
Sacramento, California 95814

Salt Lake City

Church of Scientology
1931 S. 1100 East
Salt Lake City, Utah 84106

San Diego

Church of Scientology
1330 4th Ave.
San Diego, California 92101

San Francisco

Church of Scientology
83 McAllister Street
San Francisco, California 94102

San Jose

Church of Scientology
80 E. Rosemary
San Jose, California 95112

Santa Barbara

Church of Scientology
524 State Street
Santa Barbara, California 93101

Seattle

Church of Scientology
2226 3rd Avenue
Seattle, Washington 98121

St. Louis

Church of Scientology
9510 Page Boulevard
St. Louis, Missouri 63132

Tampa

Church of Scientology
3102 N. Havana Avenue
Tampa, Florida 33607

Washington, DC

Founding Church of Scientology
   of Washington, DC
1701 20th Street N.W.
Washington, DC 20009

Puerto Rico

Hato Rey

Church of Scientology
272 JT Piniero Avenue
Hyde Park, Hato Rey
Puerto Rico 00918

MISIONES DE CIENCIOLOGÍA

OFICINA INTERNACIONAL

Scientology Missions
International
6331 Hollywood Boulevard
Suite 501
Los Angeles, California 90028-6314
EE.UU.

ESTADOS UNIDOS

Scientology Missions
International
Western United States Office
1308 L. Ron Hubbard Way
Los Angeles, California 90027
EE.UU.

Scientology Missions
International
Eastern United States Office
349 W. 48th Street
New York, Nueva York 10036
EE.UU.

Scientology Missions
International
Flag Land Base Office
210 South Fort Harrison
Avenue
Clearwater, Florida 33756
EE.UU.

ÁFRICA

Scientology Missions
International
African Office
6th Floor, Budget House
130 Main Street
Johannesburg 2001, Sudáfrica

AUSTRALIA, NUEVA ZELANDA Y OCEANÍA

Scientology Missions
International
Australian, New Zealand
and Oceanian Office
201 Castlereagh Street, 3rd
Floor
Sydney, Nueva Gales del Sur,
Australia 2000

CANADÁ

Scientology Missions
International
Canadian Office
696 Yonge Street
Toronto, Ontario
M4Y 2A7, Canadá

EUROPA

Scientology Missions
International
European Office
Store Kongensgade 55
1264 Copenhague K
Dinamarca

Scientology Missions
International
Italian Office
Via Cadorna, 61
20090 Vimodrone (MI), Italia

Scientology Missions
International
Central European Office
1438 Budapest
Pf. 351
Hungría

COMUNIDAD DE ESTADOS INDEPENDIENTES

Scientology Missions
International
CIS Office
Hubbard Humanitarian
Center,
Ul. Borisa Galushkina 19A
129301 Moscú, Rusia

REINO UNIDO

Scientology Missions
International
United Kingdom Office
Saint Hill Manor
East Grinstead
West Sussex, RH19 4JY
Inglaterra

LATINOAMÉRICA

Misiones de Cienciología
Internacional
Oficina Latinoamericana
Puebla 31, Colonia Roma
CP 06700 México, D.F.

TAIWÁN

Scientology Missions
International
Taiwan Office
2F, No. 65, Sec. 4
Ming-Sheng East Road
Taipei, Taiwán

PARA OBTENER CUALQUIER LIBRO O CASETE POR L. RONALD HUBBARD QUE NO ESTÉ DISPONIBLE EN SU ORGANIZACIÓN LOCAL, PÓNGASE EN CONTACTO CON CUALQUIERA DE LAS ORGANIZACIONES DE PUBLICACIONES POR TODO EL MUNDO:

BRIDGE PUBLICATIONS, INC.
4751 Fountain Avenue
Los Angeles, California 90029
EE.UU.
www.bridgepub.com

CONTINENTAL PUBLICATIONS
LIAISON OFFICE
696 Yonge Street
Toronto, Ontario
Canadá M4Y 2A7

NEW ERA PUBLICATIONS
INTERNATIONAL ApS
Store Kongensgade 53
1264 Copenhague K
Dinamarca
www.newerapublications.com

ERA DINÁMICA EDITORES,
S.A. DE C.V.
Pablo Ucello #16
Colonia C.D. de los Deportes
México, D.F.

NEW ERA PUBLICATIONS
UK LTD.
Saint Hill Manor
East Grinstead, West Sussex
Inglaterra RH19 4JY

NEW ERA PUBLICATIONS
AUSTRALIA PTY LTD.
Level 1, 61–65 Wentworth
Avenue
Surry Hills, New South Wales
Australia 2000

CONTINENTAL PUBLICATIONS
PTY LTD.
6th Floor, Budget House
130 Main Street
JohanesburgO 2001
Sudáfrica

NEW ERA PUBLICATIONS
ITALIA S.R.L.
Via Cadorna, 61
20090 Vimodrone (MI), Italia

NEW ERA PUBLICATIONS
DEUTSCHLAND GMBH
Hittfelder Kirchweg 5A
21220 Seevetal-Maschen
Alemania

NEW ERA PUBLICATIONS
FRANCE E.U.R.L.
14, rue des Moulins
75001 París, Francia

NEW ERA PUBLICATIONS
INTERNATIONAL ApS
Representante para Iberia
C/Miguel Menéndez Boneta 18
28460 Los Molinos, Madrid,
España

NEW ERA PUBLICATIONS
JAPÓN, INC.
Sakai SS bldg 2F, 4-38-15
Higashi-Ikebukuro
Toshima-ku, Tokio,
Japón 170-0013

NEW ERA PUBLICATIONS
GROUP
Str. Kasatkina, 16, Building 1
129301 Moscú, Rusia

NEW ERA PUBLICATIONS
CENTRAL EUROPEAN OFFICE
1438 Budapest
Pf. 351
Hungría

CONSTRUYA UN MUNDO MEJOR
HÁGASE MINISTRO VOLUNTARIO

Ayude a llevar felicidad, propósito y verdad a sus semejantes. Hágase ministro voluntario.

Miles de ministros voluntarios llevan alivio y cordura a los demás en todo el mundo con la utilización de técnicas como las que se encuentran en este folleto. Pero hace falta más ayuda. Su ayuda.

Como ministro voluntario puede resolver hoy cosas que parecían imposibles ayer. Y puede mejorar el mañana de este mundo de una forma enorme.

Hágase ministro voluntario y llene de luz el mundo para que sea un lugar mejor en el que pueda vivir. Es fácil de hacer. Para recibir ayuda e información acerca de hacerse ministro voluntario, visite nuestro sitio web hoy : www.volunteerministers.org

También puede llamar o escribir a su organización de Volunteer Ministers International más próxima.

VOLUNTEER MINISTERS INTERNATIONAL
UN DEPARTAMENTO DE LA INTERNATIONAL HUBBARD ECCLESIASTICAL LEAGUE OF PASTORS

OFICINA INTERNACIONAL
6331 Hollywood Boulevard, Suite 708
Los Ángeles, CA 90028, EE.UU.
Tel. 1-323-960-3560

EUROPA
Store Kongensgade 55
1264 Copenhague K, Dinamarca
Tel. 45-33-737-322

COMUNIDAD DE ESTADOS INDEPENDIENTES
c/o Hubbard Humanitarian Center
Ul. Borisa Galushkina 19A
129301 Moscú, Rusia
Tel.: 7-095-961-3414

HUNGRÍA
1438 Budapest
PO Box 351, Hungría
Tel.: 361-321-5298

ITALIA
Via Cadorna, 61
20090 Vimodrone (MI), Italia
Tel.: 39-0227-409-246

ESTADOS UNIDOS DEL OESTE
1308 L. Ronald Hubbard Way
Los Ángeles, California 90027
EE.UU.
Tel.: 1-323-953-3357
1-888-443-5760
ihelpwestus@earthlink.net

ESTADOS UNIDOS DEL ESTE
349 W. 48th Street, Nueva York
Nueva York 10036, EE.UU.
Tel.: 1-212-757-9610
1-888-443-5788

CANADÁ
696 Yonge Street
Toronto, Ontario
Canadá M4Y 2A7
Tel.: 1-416-968-0070

LATINOAMÉRICA
Federación Mexicana de Dianética A.C.
Puebla #31
Colonia Roma, CP 06700
México, D.F
Tel.: 525-511-4452

AUSTRALIA
201 Castlereagh Street
3rd Floor
Sydney, Nueva Gales del Sur
Australia 2000
Tel.: 612-9267-6422

ÁFRICA
6th Floor, Budget House
130 Main Street
Johannesburgo 2001
Sudáfrica
Tel.: 083-331-7170

REINO UNIDO
Saint Hill Manor
East Grinstead, West Sussex
Inglaterra RH19 4JY
Tel.: 44-1342-301-895

TAIWÁN
2F, 65, Sect. 4
Ming-Sheng East Road
Taipei, Taiwán ROC
Tel.: 011-88-628-770-5074

WWW.VOLUNTEERMINISTERS.ORG

Bridge Publications, Inc.
4751 Fountain Avenue
Los Angeles, California 90029
ISBN 0-88404-967-1
© 1994, 2001 L. Ronald Hubbard Library.
Todos los derechos reservados.

Bridge Publications, Inc. es una marca registrada en California y es propiedad de Bridge Publications, Inc.

Impreso en Colombia
SPANISH EDITION

Una publicación L. Ronald Hubbard